KB104809

어허, 아타미 군

(1)
VOLUME
Not easy days
of the prince.

Asa Tanuma

목 차 contents

4

'내 얼굴이
좋은
것뿐이면서…'

......

하지만 동시에
의문도
들었습니다.

'과연
정말 그게'

'왜 그렇게
생각했어?'

'어디가
좋은 건데?'

'연애 감정일까…?'

뭐 보고 있어?

…아니,

잘은
몰라도

또 고백
받았어?

어?

뭐…
그 직전
같은
거랄까요.

이게
그렇게나
좋은가
해서요…

하하하!
자기 얼굴을
본 거야?

얼굴 외에
뭘 알 수
있다는
거죠….

…얘기해
본 적도
없는
인간의

다 얼굴만 보고
말하는 건
아니라고
생각하는데
말이지.

……

…은밀한
선행을
목격했다던가.

이 사람은 2학년 아다치 선배입니다.

도시락 살 때 나무젓가락 안 받으려고는 해요….

기특하네.

점심시간에 이곳에서 가끔 만나다 보니 자연스럽게 얘기하게 된 사람으로

지금 아타미 군이 알고 있는 건

이름과 한 학년 위라는 것.

자주 책을 읽는다는 것.

무섭지 않아?

딱히 싫은 내색을 하지 않는다는 것 정도.

…진짜 크네.

멋있다.

그걸 방해해도

아, 개미가 엄청 커요.

8

데 도 딩
잉 옹 잉

이상
이다.

그 '대부분'이
무서운 거야.

여기 개미는
대부분
괜찮지
않나요?

찰칵

찰칵

…개미에
물린 적이
있는 것도
추가.

예전에
물렸을 때
엄청
가려웠거든.
그래서 조금
무서워….

잘 가라.

1-2

그 정도밖에
없는데.

정말

괜찮니?

너,

이건

아타미.

……

아타미.

보건실 갈래?

선생님, 살짝 고개 저었어요.

좋아하게 돼버린 걸까…?

잘 모르지만…

뭘 숨기는 거죠?

옛날 어느 때인가 수많은 궁녀들이 시중을 드는 가운데….

아니, 아직

아, 네.

그럼 카와카미.

잠깐 내버려 둘까…

머리를 싸매는 데는 이유가 있습니다.

10

그냥
전하는 걸로
만족하려고
했는데

......

앞으로
만날 일도
없을 거라는
생각에

그것을 처음으로
내보인 것은
중학교 졸업식 날.

아니,
그건 아니라고
생각해.

전해지지
못한 마음은

…뭐가?

라고
물어보지
못했습니다.

그 후로는

다른 사람의 호의도 제대로 받아들일 수 없게 되었습니다.

그대로 허공에 떠올랐고

좋아한다는 생각이 반드시 연애라고 할 순 없지….

그건 그렇지만….

아름다운 미간을 찌푸리며

대체 뭐가 뭔지.

남의 것도 자신의 것도

으ー음

이 이상 더워지면 당분간 여기에도 못 오겠는걸.

...

덥다ー

고민은 계속되고 있습니다.

네?

아니, 여기 자주 오길래.

아타미, 반에서 잘 지내고 있는 거야?

으음, 모르겠어.

집에서 무슨 얘기해?

...

외동의 바이브...?

역시 그렇구나. 뭔가 그런... 바이브가 느껴졌어.

네.

?

아, 그럭저럭... 그냥 사람이 많은 게 좀 그래요.

...외동이야?

아빠랑 둘이 사는데 평일에는 거의 만나는 일이 없고

업무 연락 같은 것밖에 안 해요.

휴일에도 뭐… 서로 하고 싶은 거 하고요.

싫으면 말 안 해도 돼.

궁금 해서

집이요?

아, 그게…

우리 집은 아빠가 단신부임으로 안 계셔서 엄마랑 누나가 주로 떠드는데

9할이 음식 얘기야.

누나가 있구나…

아다치 선배는요?

…그렇 구나.

사이는 좋지만요.

…밥은 어떻게 해?

적당히 만들거나, 사 먹거나.

…

밥 먹으러 올래?

우리 집에.

그건 그렇고,

근데 음식 얘기가 뭐지?

16

게임기 좀 내려놔.

...카레 엄청나게 해놔서 다행이네.

실례합니다. 갑자기 와서 죄송해요.

아, 누나도 마침 왔네. 접시 하나 더 꺼내줘.

다녀 왔습니다.

응.

왔어?

다녀왔

하루...

...

어서 오렴.

드드륵

분위기의
유래를

그런　신경 쓰지
않는
듯하면서도
신경 쓰는

※후쿠진즈케도
대부분 무로
만드니까.

※비 발효형 절임의 일종.

아타미 군
집은 카레
뭐랑 먹어?

조금
알게 된 것
같았고

듣지
않은 건
처음
이었습니다.

achar
(양파)

집에 대해
말했을
때
'대견하네',
'힘들겠네'
같은 말을

네?
아,
저희
집은….

아차르?

앗, 미안.
안 되는
거였어?

…그런 중요한
개인정보를
가볍게
물어봐도
되는 거야?

저희 집은…
아차르
라던가….

네?
전혀요.

"그렇구나."

하나만요...?

아타미 군, 이 세상에서 하나만 채소를 남길 수 있다면 뭐가 좋니?

인도나 파키스탄 근처? 라는데.

어디 음식이야?

아차르 맛있겠다. 다음에 만들어 봐야지.

진짜 음식 얘기만 하는구나.

호르으응

♀ 아차르

아타미 군.

'오늘 만드는 거 귀찮은데' 같을 때도 괜찮으니까.

그래, 그래.

정말 언제든지 먹으러 와도 돼.

잘 먹었습니다.

조심히 가.

별 말씀을.

22

…뭐가?

…엄청 다정하시네요.

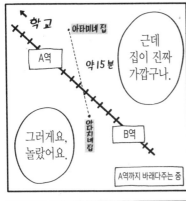

학교

아타미네 집

A역

약 15분

아타미네 집

B역

근데 집이 진짜 가깝구나.

그러게요, 놀랐어요.

A역까지 바래다주는 중

네.

뭐? 아아, 그래?

가족 분들.

아, 근데 결국 대답 못 해서 죄송했어요.

부탁이니까 1도 신경 쓰지 말아 줘.

네?

남한테 음식 랭킹 같은 거 물어보는 걸 가족들이 엄청 좋아하거든.

집요하게.

그보다 아까 미안.

아슬아슬하게 다른 중학교였구나…

뭐데?

잠깐…
저기
앉아서….

어?
왜?

그럼 좀
묻고
있는데요. 싶은 게…

…일단
있긴 해.

아니,
그냥요.

어?
뭐야,
갑자기.

흐음….

왜 그런 말을
했는지는
모르겠지만

그 애가

글쎄.

중요한 건 그게 어떤 의미냐가 아니라 제대로 전해지지 않은 것에 상처받았다는 거야.

그것보다 생각해 봐야 소용 없고…

근데 어떤 감정이 정답인지는 아무도 모르는 거 아니야?

아타미는 딱히 잘못 한 게 없어…

…어?

아니, 잘은 몰라…

상처받았던 건가…

나…

아.

그걸 알아차릴 방법도 딱히 없고.

같은 별을 가리키고 있는 줄 알았는데 서로 다른 걸 보고 있을 수도 있잖아.

예시가 로맨틱하네…。

그리고 실제로는 다른 걸 보고 있었다고 해도 그 상황에서 그건 문제가 안 된다고 할까?

같은 곳을 보고 있다는 의식의 공유가 더 중요한 거지….

그러니까 즉,

…비유가 조금 어려워지기 시작하네요.

실제로 사귀게 되면 이런저런 조정이 필요하게 되겠지만 말이야….

같은 몰라도

아, 근데

자신이 그렇게 생각했다면 그게 정답이라는 거야!

너무 떠들어서 부끄러워졌어

만약 아직도 그 애를 좋아한다면

한 번 더 제대로 전하는 편이 좋다고 생각해.

아마도.

아, 그렇다면

지금
좋아하는 건
아다치
선배예요.

그렇게
되겠네요….

28

미안.

나도
좋아하는
사람이

있어서.

가마가
보이네
라며

그래요…?

아,
머리
가마.

30

정신을 차려 보니
익숙한 귀갓길을
걷고 있었습니다.

생각한
부분까지
기억하고

애가 유사시에 의지할 수 있는 장소는 많아서 나쁠 게 없으니까.

근데 정말 언제든지 오라고 전해줘.

그렇게 예쁘면 상상도 못 할 고충이 있을 것 같거든….

절은 참아줘.

타악

그러게.

아니, 근데 힘들 것 같아.

아닐 거야.

대체 내 어디가…

아니. 근데

…저건 뭐지? 물어봐 주길 바라는 건가.

오려나….

또…

근처니까 더 좋잖아.

주욱

아타미 군이 그렇게 생각할 수 있었던 이유는 아마도

단지

...

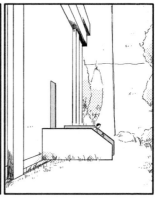

안녕하세요.

...매일 다니는 역이니까요.

그랬지.

...어제 잘 들어 갔어?

웃차

놀라긴 했지만.

…딱히 이상할 건 없잖아.

이상한 소리를 해서.

저야말로 갑자기 죄송했어요.

뭐가 …?

확인 사살…

개운해져서

확인 사살 당했다고 할까,

근데 제대로

날씨도 좋고요.

감사해야 겠다고 생각했어요.

그리고

꾸벅…

감사 했습니다….

그런 이유로

날씨…

…

......

…제대로 차였는데도

하아.

콰앙

다행 이다….

아다치 선배는 평소처럼 얘기해 줄 모양입니다.

글썽

내가
토가와랑
사귀는
일은

평생
없겠지만

그래도

확인
사살…
확인
사살…

저기

고마…

어?

탓

와타노, 외웠어.

이름이 ※'와'타노라서 반대쪽 구석에 있어.

...미안.

※한글의 가나다 순처럼 일본에서 '아'는 맨 처음, '와'는 거의 끝에 해당된다.

또 자기 소개할게.

잊어 버렸다고 하면

그럼 다행이고.

너 전개가 빠르구나.

실은 신경 쓰이는 사람이 생겼는데요….

카당

카당

(양파)

어허, 아타미 군

안 써요.

어? 사람 부를 때 안 쓰나?

…헤이가 뭐예요?

아.

기다렸어?

다행이다.

아, 정말요?

응.

저번에 말한 고야 요리 만들어봤는데 맛있더라.

그거 맛있었지.

그 후로 금요일에는 아다치 선배 집에서 대접받는 일이 늘어난 아타미 군입니다.

저기.

…그나저나 그거 아타미 군은 괜찮나?

뭐 먹을지 고민하는 게 세상에서 제일 귀찮거든.

메뉴가 항상 뻔했는데 고마워.

양배추 된장국

돈가스 덮밥

기특해~.

저도 인터넷에서 본 건데요 뭐.

아,
그렇구나.

오셀로
같은
거요?

...

보드게임에
관심 있어?

나왔다.

맞아,
맞아.

너무
의욕 보이면
나중에
귀찮아질
거야.

그리고 엄청
재밌어요….

그치?!

이제야
룰을
알겠
어요.

알겠어?

...

우린
자고 가도
괜찮지만.

근데
아타미 군,
시간 괜찮아?

한 판 더
할래?

엄마가
놀고 싶은
거잖아.

응.

아….

내일
휴일
이고,
일정
없으면.

아,
네….

48

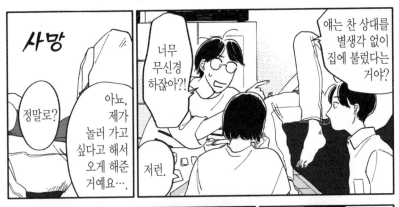

사망

정말로?

아뇨, 제가 놀러 가고 싶다고 해서 오게 해준 거예요….

너무 무신경 하잖아?!

저런.

애는 찬 상대를 별생각 없이 집에 불렀다는 거야?

그 아드님 소리 좀 그만해….

자는 건 아드님한테 미안하다고 할까…

…

차인 데다 그 가족과 보드게임 까지…

엄청 실례되는 짓을 했네.

아뇨, 단지

정말 미안해.

가끔씩

악의 없이 쓸데없는 말을 해버리는 경우가 있습니다.

쿵
쿵
쿵
쿵

조금
동요한
것뿐이야···.

아.

서로 지내기
편할 것 같아서

이쯤에서
확 공개
하는 게

앞으로도
알고 지낼 걸
생각하면

아니,
됐어.

단지

아니.

집에서
이런 얘기는
일절
안 하기 때문에
조금,

저희 집은···
저는 뭐,
안 하지만요.

···

아니,
해?
가족이랑
그런
얘기···.

그런
가요?

죄송
해요.

난 가족한테도
연애 감정이
있다는 것조차 자꾸
잊어버리거든···.

흐음.

여자 친구?
같은 게···
아마도.

이혼했으니까
상관없는데.

아빠도 뭔가
있는 것 같은데
말을 안 해요.

있는 것
같아?

…그리고
보니
전에 말한

…
그렇구나.

적극적으로
알고 싶은 건
아니지만요.

와타노
요?

응.

같은 반
애는

어떻게
됐어?

저기,
그.

'안녕'
뿐이었지만
….

…뭐,

그 뒤로
한 번
얘기했어요.

인사는
중요해.

오.

목욕물 데워놨니?

응.

먼저 들어간다.

그런 식으로 와타노 얘기를 꺼낸다는 건…

……

생각하는 걸까?

끝난 얘기라고

상대는 어쨌든

그래도 뭔가

아니, 끝난 얘기긴 하지만

바라는 걸
의문형으로
제시하는
타입의
사람으로

마침
잘 됐다.

잠깐
갈 데가
있어.

아빠도
나갈
거니까
저녁은
적당히
해결해 줄래?

아타미 군의
부친은

내일?

아니,
딱히…

아.

상대가
자세를
취한 곳에
공을
던지는

그런
식의
커뮤니
케이션.

돈 모자라면
말해.

응,
아직
괜찮아.

응,
이거
마시고 나면
잘 거야.

씻을게.

익숙해
지면
편하긴
하지…

자기가
마음 편하게
나한테도 나가고
뭔가 싶으니까
볼일이
있길 바라는…
그런…

양치
꼭
해.

응.

…잘 자.

그래.

음….

과앙
철컥

부스럭
부스럭

과앙

아,
빨래는
해놨네.

럭키—

좌앗

하루 종일
외출인
건가…

좌앗

일찍
나가네…

응응

중학교 때
강제로
그룹에 넣어져

정말
계속
옵니다.

얼굴도
잘 모르는
사람들한테서
아직도
정기적으로
연락이
옵니다.

그룹
나왔는데…

…

…휴일에
놀자고

하는
건

얼마만큼
친해져야
괜찮은 거지?

거절당하면
상처받을 테니까
당분간은
안 되겠다…

…저녁
뭐 먹지.

하

못 해,
못 해.

그렇다면
다행이네요.

…덕분에.

그 후에
괜찮
았어요?

…덥다.

…

아니,
난 전혀…

그보다
그 '전혀'가
무신경한
건가…?

그 후에
계속 신경이
쓰였거든.

…

…하루
온종일은
아니었어.

…주말에
계속 생각한
거예요?

상상력이 결여된 발언을 하는 경우가 있어서

난 생각이 꽤 부족하다고 해야 하나,

그럼 12시간? 인가…?

한나절 정도였지만.

파 라라라라…

파라라

…?

윳차

뿔 쩍

생각했어.

신경 쓰이는 일은 말해줬으면 좋겠다고

…그럼 됐고.

무신경하다고 생각한 적 없어요.

아다치 선배네 집 재밌어서 좋아요.

가족들이 네 걱정만 하거든.

내 신용이 심하게 낮은 건지도 몰라.

다정 하네요.

본인은 모르는 거야.

아니, 정말 전혀 재밌지 않아요.

완전 진심.

…뭐가 재밌는지 모르겠지만, 남의 집은 재밌지.

저희 집은 재미없어요.

흐음.

아, 메뚜기다.

아타미 군이

바둑 방송을 보며 졸고 있을 때도

남은 음식으로 만든 수수께끼의 파스타를 먹고 있을 때,

아다치 선배가 자신의 언동을 신경 쓰고 있었을지도 모른다고 생각하니

잘 못하는 영작으로 고전하고 있을 때나

너무
놀라워서

굉장해.

그럼
이제 됐나?
라고
생각했습니다.
그저

같이
있으면
편하고,
그리고

그걸 가장 마음에 들어 하고 있다는

자신이 지금

—미.

아타미.

충분…….

그 사실만으로 지금은

삐—잉

도—잉

대

…네.

아, 오늘은 통했다.

다행이네요

도—잉

아.

제 3 화 ⟨ 계마(桂馬)에 전람회와 노크 ⟩

그래서 놀랍게도 ※계마(桂馬)의 위치 관계가 될 수 있었어요.

※장기말의 하나로 한국 장기의 마(馬)에 해당함.

…그건 잘됐네.

…계마 라니.

와타노

나

桂馬 의 위치

가끔 얼굴은 볼 수 있지만 얘기할 수 있는 거리는 아닌,

제 입장에서는 베스트죠.

아.

보통은 옆이 좋다고 생각할 텐데…

…네?

내 친구도 같이 갈 거야.

뭐, 그 녀석 티켓이니까.

전혀 상관없는 얘긴데

곤충전 비슷한 티켓이 있는데 갈래?

가끔은 눈이 마주칠지도 모르겠네…

가까운 주말로 생각 중이야.

여름방학 시작되면 북적거릴 테니까

언젠데요?

너 벌레 좋아하는 것 같아서.

백화점 위층에서 하는 작은 전시인 모양인데

네… 그 친구분이

그래?

휴일에 학교 사람이랑 외출하는 거 처음이구나 싶어서요.

아뇨….

아, 흥미 없으면 안 가도 돼.

학교 끝나면 시간 거의 없잖아.

…휴일에요?

?

너라면 괜찮을 것 같단 말이지.

왠지 모르겠지만

가보고 싶어요….

싫지 않다면

이쪽은
쿠니지마.

그리고
아타미.

안녕.

안녕
하세요
….

…젊은이들이
처음
만나면

보통
더 신나는
분위기가
되지 않나?

네 친구들이
모여서
신나는 분위기가
될 리 없잖아.

뭐…?

…

…

저
지금

…

…동급생하고는
이런 잡담을
하는 건가?
아다치 선배.

알 게
뭐야

어째
서

꽤
신나는데요.

고양이…

자,
일단
들어가자.

몇 층
이었지?

호오….

귀엽지

… 너는?

곤충
마그넷.

얇은 자석이나
사는 놈이
뭐라는 거야.

귀엽지

책갈피.

책갈피를
돈 주고
사는 녀석이
있구나….

굿즈
뭐 샀어?

FOOD H

없구나…

…… 없는데요.

오셨어요? 엄청 신난 분위기네.

쮸읍

그거 다행 이네.

안심

일단 전혀 신용하지 않는 건 알겠군.

쮸읍

저도 받아 올게요.

삑

난 연상다운 화제를 제공했어.

삐 삐 삐 삐 삐

아.

가끔은 난 게스트편도 좋던데

스페셜 위크보다 일반편이 더 재밌으니까

결국 이러니저러니 해도

반도가... 아니, 그래도

살금...

살금...

어서 와.

......

굳이 말을 건다는 건

엄청 좋은 녀석이거나, 엄청 나쁜 녀석인데

난 혼자 있을 때 밖에서 아는 얼굴 보면 피하는데.

눈이 마주쳐도 못 본 척하고 도망치거든.

...데이트 중에 굳이 말을 걸다니.

WHY...

잔말 말고

...엄청

입 좀 다물어, 쿠니지마.

어느 쪽?

뭐?

쿠니지마 선배는 이해 못 할 수도 있지만….

좀 그렇긴 하지.

좋은 녀석일 거예요.

아마도.

…안 먹어?

뭐, 됐어

그냥 먹자

죄송 합니다.

제대로 사과해!!

엄청 죄송 하네요.

너!!

역시 잘 맞는 것 같네.

…먹어요.

아타미 기다리느라 식었잖아.

아아.

뭐 보고
있어?

아타미.

슬슬
죽는 사람이
나올 것 같은
더위지만.

죽는….

날씨가
엄청 좋다고
생각하고
있었어.

왠지

뭔가 운이 좋다 싶어서 무심코 말을 걸었거든.

운….

넌 레어한 것 같으니까.

어?

같이 있었잖아.

아. 응, 뭐….

어제 본 사람들 친구야?

여,

여자 친구였어?

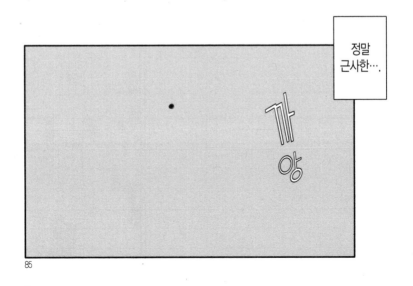

까앙

오오…

여름의
오후 4시
햇살과

졸린 템포의
공 치는 소리와

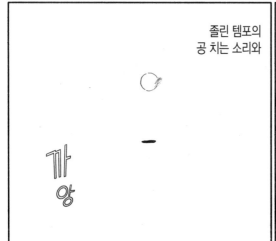

까
앙

눈부시면서

계속
잊고 싶지
않을 것 같은

당장이라도
잊고 싶은 것
같은

뭐 해?
아타미야마.

까
양

뭐예요?
그 은색으로
빛나는
우산은….

야마…?

까
양

……

여름엔 직사광선을
피하는 것만으로도
체력 소모를 상당히
줄일 수 있거든.

자외선
차단율
90퍼센트.

까
양

이 센티멘탈을
공유할 순
없다고

아타미 군은
생각했기
때문에

아뇨,
딱히….

그래서
뭐 하고
있었어?

그저
입을 다물고

까
앙

이렇게
더운데
잘도 하네….

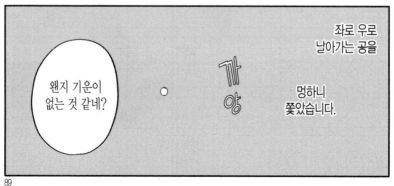

좌로 우로
날아가는 공을

왠지 기운이
없는 것 같네?

까
앙

멍하니
쫓았습니다.

……

보통이
뭔데?

…보통은
그런 거
안 물어봐요.

음….

어허, 아타미 군

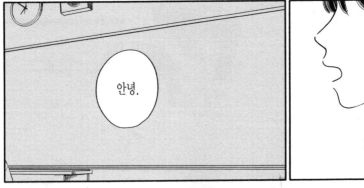

안녕.

안녕.

성큼

성큼

아, 안녕.

나?

안녕.

누구한테 한 거지?

96

안녕.

...안녕.

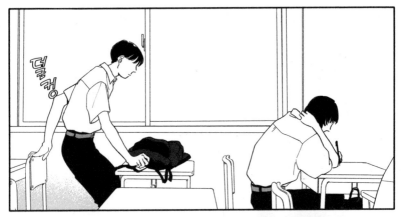

…츠지 머리가 자랐네.

아, 오늘 저녁은 우동으로 할까.

좋은 아침.

머리는 자라지… 손발톱도 자라지….

인간은 불편해.

입구도 출구도 없는 미로를 줄창 그린다는…

맞아요. 흥미로운 츠지.

흥미롭네….

흥미로운 츠지.

아, 그게 츠지 가요.

앞자리 ←

그

아아,

"…미로라는 건 그런 거잖아."

애기해 보면 분명 다들 좋아할 텐데 말이죠.

그걸 본인이 원할지는 모르는 거니까….

"왜 입구랑 출구가 없어?"

…그건 좀 이해돼.

평가를 원하지 않는다고 할까….

…근데 저만 장점을 알고 있는 것 같은 즐거움도 있어요.

왠지 엄청 말을 걸어오는데.

대체 뭐지…?

(나한테는 말 안 거는데) (그건 진심 아무 상관 없지만)

과감하게 도전해 오는 여자애들의 점심 권유도 매번 거절하잖아….

붕게 붕게 붕게

하지만 뒤랑, 옆이랑도 그렇게 떠드는 것 같진 않아…

자리가 가까운 사람한테는 말을 거는 정책인 건가?

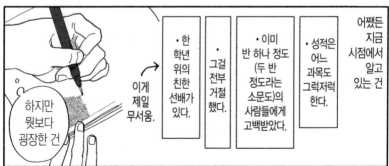

하지만 뭣보다 굉장한 건

이게 제일 무서움.

•한 학년 위의 친한 선배가 있다.

•그걸 전부 거절했다.

•이미 반 하나 정도 (두 반 정도라는 소문도)의 사람들에게 고백받았다.

•성적은 어느 과목도 그럭저럭 한다.

어쨌든 지금 시점에서 알고 있는 건

104

사람을 만나는 게 싫어서 그래.

머리 자른 다음 날에

어?

뭔가

…왜?

평소의 풍경에서 자신한테 변화가 생겼다는 게 진정되질 않는다고 할까….

왜… 냐니.

꽈악

뭔가 굉장히 싫어.

자의식과잉 이라는 건 알지만

걸지 않더라도 뭔가…

누가 말 거는 게 싫다는 거야?

주목받는 게,

받지도 않지만 뭔가 좀…

힘들다고 할까?

흐음.

…글쎄,

그런 말은 들어본 적 없어서.

어울린다는 말도?

아니,

안 막혔어.

도리 도리

…말문이 막혔구나.

······

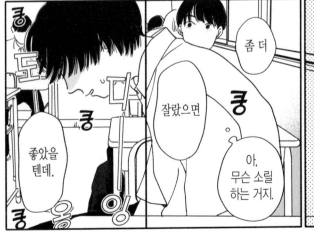

쿵

또 다

쿵

쿵

좋았을 텐데.

잘랐으면

좀 더

아, 무슨 소릴 하는 거지.

쿵

…입학 전에

쿵

아타미랑 백화점 지하에 가야 해.

엄마가 심부름 시켜서

서점 갈래?

머리...

그럼

진짜?

이렇게 곱슬거렸었나...

오늘

가는 길에 나만 서점 들르면 되고.

...뭐, 그럴지도...?

둘 다 내가 있으면 좋잖아.

어째서?

나도 거기 갈까?

나도 갈 거야.

기분 탓인가?

...좀 알 것 같은데

나는.

우물

우물

많은 사람들이랑 얘기하는 거 힘들거든.

꿀꺽

우물

우물

왜 항상 말 걸어오는 애들이랑 안 먹어?

이상한 것 이전에 말을 하든 안 하든 눈에 띄는데…

흐음….

그렇다고 말을 안 하면 눈에 띌 테니까.

난 아무래도 이상한 말을 할 때가 있는 것 같고,

우물

우물

만들고 싶어 했나?

아니, 그건 몰라.

있으면 안 되는 것도 아니잖아.

뭐냐?

흐음.

…아타미한테 같은 반 친구가 생겼더라고.

그래도 조금 다행이야.

음, 그렇긴 한데

자기 얘기 끝났다고 귀를 닫아버리는 건 좋지 않다고 생각해!!

어? 미안, 뭐가?

…가끔씩 깜짝 놀랄 만큼 좋은 녀석 이더라, 넌.

…

어허, 아타미 군 ①

119

제 5 화 〉 도서실에 꽃집과 한숨

어서
오세요.

1310엔
입니다.

꽃병에
꽂을 때

물은 줄기가
잠길락말락
할 정도면 돼요.

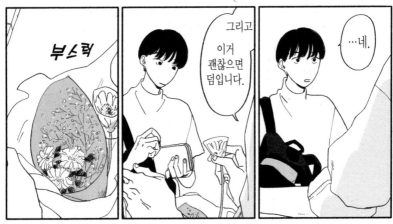

부스럭

그리고
이거
괜찮으면
덤입니다.

…네.

카시와우 꽃집

…

카시와우 꽃집

감사합니다.

하― 하―

아뇨, 근데 마음 쪽이 뛰어서…

…그래?

…뛰어 왔어?

저기,

이거 괜찮으시면….

아, 어서 오렴.

아, 어서 와!

아, 아타미 군.

뭐라는 거야.

하지 마

이쪽 이에요

어머나, 어느 쪽이 꽃인지 모르겠네.

WELCOME

아니…

뭐,

그게

꽃 같은 거 신경 안 써도 되는데.

그래?

아, 꽃병에 물은 조금만 넣는 게 좋댔어요.

당장 꽂아야지.

꽃병 꽃병

오케이~.

아아….

좋은 기회였다고 할까….

등갈비 다 구웠어!!

계속 신경 쓰이던 점원분이 있어서

대량의 등갈비를 맛있게 소비하는 모임

사회인?

대학생인가.

아뇨, 알바생? 처럼 보이고, 젊었어요….

이상한 어른도 잔뜩 있으니까. 조심해, 미성년이고

말은 안 걸어?

아뇨, 제가 보고 있는 것뿐이라서 ….

그러니까!!

……

보고 있기만 해도 좋다고 할까요….

으음, 뭔가

아, 알아.

…츠지한테는 열심히 말 걸었던 것 같은데.

개인차 겠지.

그게 뭐야, 세대차인 건가?

젊었을 땐
닥치는 대로
먹었지.

이렇게
생각하는 건
실례인가…

충분히
즐거워요.

흐음.

호의의
종류가
다르다는
건가…?

보지도
않고

그래,
부탁해.

이것들도
제자리에
돌려놔도
돼요?

선생님.

공부
열심이네.

동기가 뭐든….

뭐든지 알려고 들면 끝이 없네요.

네.

그렇지….

꽃말 이야?

도감? 응.

더 걸려요?

어째서?

…저는 꽃말을 들으면 웃게 돼요.

단순히 종류나 생태 같은 게 재밌어요.

네가 그런 말을 하는 건 좀…

'전부 인간이 멋대로 정한 거면서'라고 생각하면 웃겨요….

그야 뭔가…

알바라고 해도 이것저것 알고 있을 테니까.

그런 걸 그 점원한테 물어보면 좋을 텐데.

…계산 얘기냐?

금전의 수수라던가….

있었으면 좋겠다고 생각해요.

인생에서.

딱히 얘기하고 싶은 건… 아니지만

약간 스쳐 지나가는 정도의 일은

…이건 관계없어요.

그쪽 하고는.

기껏 이것저것 공부해 놓고?

그래?

더 얘기하고 싶다던가, 친해지고 싶다까지는

딱히 생각하고 있지 않아요.

…그런가요?

적어도

자신이 좋아하는 것에 흥미를 가져주는 게 기분 나쁘진 않을 것 같은데.

뭔가
의미가 있다는
건가요?

…만난
시점에서

그렇기
때문에

거기서
의미를
찾는다
던가

가지려고
하는

그런

아니,
난 대단한
의미는 없다는
쪽이야.

네에
…?

디
ㅡ
잉

생각해….

노력을 해봐도
괜찮지 않을까

꽃사전

···

음~.
해바라기
···?

해바라기
···.

팔락

팔락

아니,
아니.

···꽃말
얘기야?

···나?

같은 질문으로
돌려준다···

좋아하는
꽃.

···너는?

커뮤니
케이션의
비법···

국화과···
해바라기
속.

꽃꽃이용 꽃사전

134

아, 그게

선물용으로 산 거라서

아마도….

꽤 오래가죠? 그 꽃.

그렇구나.

아아.

좋네요.

저기

그럼
이만.

또 오세요.

......

138

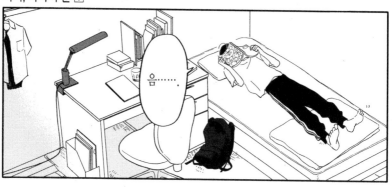

음…….

…없네.

…없어.

…요일이
바뀌었나?

…

330엔
입니다….

어머나…

어서
오세요.

네?

아,
친구세요?

아뇨….

아,

있었던 것
같은데요….

머리
묶은
남자분이…

여기에

…저기,

취직자리가 정해졌대요.

지난주가 마지막이었어요.

저희도 아쉬웠지만요….

이것저것 아는 게 많고, 좋은 아이라서

…

…뭐,

카 시 와 우 꽃 집

감사합니다

부우우우웅….

그때마다
슬퍼하는 것도
중요하지만

……

일단 비파
먹지 않을래?

달아.

얘기
했다면
분명
더

아니…
뭔가,

그래?

…딱히
슬픈 건
아니에요.

…바보
취급하는
거죠?

아,
없어지고 나서
처음 깨닫는
그건가.

이제 와서,

라고
할까.

재밌었을지도
모른다고

이제
와서….

어허, 아타미 군

비슷한
소리를 내며

츠지는
굳어버렸다.

삐얏.

그건 이미
지난 주의
얘기로

그 뒤에
말을 걸어도

쿵….

같은

응….

이라
던가

평소 이상으로
불분명한
소리만 내고

평소
이상으로
눈도
안 마주친다.

다음 주부터
기말고사가—

교직원용 교실은
전면 출입금지가
될 테니—

월, 화는
단축
수업으로—

아니,

……

왜 말해버린
거지?

…피곤해?

카당

카당

안녕.

······

¥100
¥100 삑

우리 같은
노선이지?

철커엉

···3학년.

안녕
하세요.

여기 앉아서
마시지 그래?

휘
리
~
릭

아뇨,
괜찮아요.

덥다….

쏘옥 쏘옥

1 - 2

끝으로 연락사항만 전달할게요.

하아.

…그렇게
창가 쪽에 있으면
탈 거야.

…그런 것
치고는

여름이
다 그렇죠.

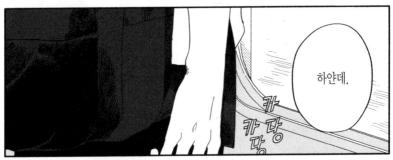

하얀데.

다음은
○○, ○○~
△선으로
갈아타시는
분은

카
당

쳇.

카
당

······

덜
컹

시선까지
집요하네.

몰랐으면
하는 사람.

알아줬으면
하는 사람.

…뭘까?

그 차이는.

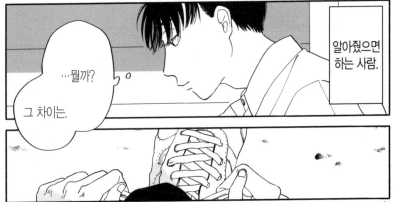

먼저…

'압도적인
경험 부족으로'

'초동(初動)이
늦었고…'

'그 결과
배려심이 부족한
대응이 됐다고
생각한다'.

……

그리고

'그에 따른
서먹함으로
인해'

'대화를
피하게 돼서'

'꼼싹도
할 수 없는
상황이
된 것 같다'.

'5회 정도
무시하는 듯한
형태가
돼버린 것과'

수를
센 거야?

그래서

'뭘 사과해야
하는가? 라는
건데…'

또

음
ㅣ
…!

아니,
그건 전혀
필요 없는데.

'충분한
리액션을 취하지
못했던 것'.

아아,
역시

그건 내가 ···아니, 할 말이라고 생각하는데.

굳이 왜 나한테?

이 애는 전혀 모르는구나.

근데 나도 왜 솔직히 말한 건가 싶었어.

음···.

츠지랑 앉아서 얘기하고 싶다고 생각했거든.

뭐라고 할까,

하지만
츠지가
앉고 싶은지
어떤지를
확인하지

앉았구나

서서
할 얘기도
아니지
않나

싶었어…

?

알고
싶고,

했어.

그래서
나도 잘못했다고
생각했어.

멋대로
말한 점
말이야.

알아줬으면
해.

아아, 역시.

1년 전 봄

그럼, 조심해

할머니, 고마워.

거기서 돌면 여기로 나오는 건가….

……

……

…응.

'아다치'
다.

아.

잘 가.

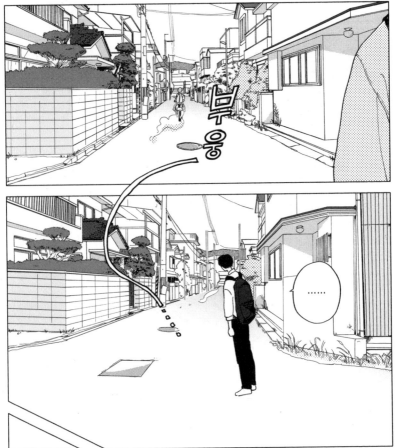

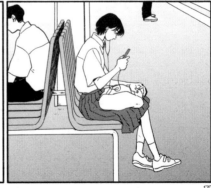

오늘은
전철이네.

오오.

응,
쿠스카타
역에서
알바 시작
했거든.

오,
뭔데?

쿠스카타
몰에 있는
인도 요릿집.
...

선에
들어
옵니다

대체
뭘 근거로
그렇게
생각하냐.

감으로?

...동생?

같은 반인
스와.

안녕.

1학년
아타미야.

안녕
하세요
...

그럼
잘 가.

이미
소개 했어.

쿠니지마가
질투하겠네.

하
하
하

너도.

즐거운
여름방학
보내.

쿠웅‥

전에 말한
좋아하는
사람.

그 사람
이에요?

…혹시
말인데요,

…저도
얘기 정도는
들을 수
있어요.

고맙다.

…예를 들어
앞으로

아다치
선배도

으음.

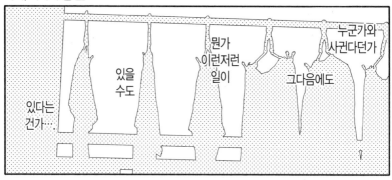

약 1시간
경과

아.

응.

아….

흐음.

그날에 아뇨. 네?
따라요.

빵 오오, 저도.
좋아해?

네.

뿅 뿅
뿅
응?

그럼
난 역으로
갈게.

아.

약속?

지금
쿠스카타
몰에서
맛있는 빵을
샀어요.

open

이 시간에
카레빵이
남아있다니
완전
럭키였어.

저도
그쪽 방면
이에요.

...아,
그래요?

그럼
그...

아아,
맞은편
이요.

초코랑…
고추잡채…?

초코랑
고추잡채
중에
고르라면

고추
잡채가
좋다는
느낌?

아아….

그럼 갈게.

응.

잘 가.

안녕히 가세요.

카레빵 일단 여기에 넣을까요?

…이거 책.

아, 감사합니다.

…

아니, 괜찮아.

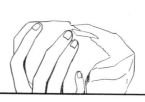

아….

마음의
준비가
필요
하다고
할까요.

어?

…꽤
생각해
봤는데요.

…뭘?

으음….

무슨
소리야…

아마도.

앞으로
있을 테고요.

가지각색의
스텝…

상태가

생기겠죠.

아다치
선배한테도
앞으로
그런
상대가

…

생각해
봤어요.

그때

저는 대체
어떤 기분이
될까 싶어서

190

…미안한 짓을
했네.

혼자인
아다치 선배,

누군가와
있는
아다치 선배,

어느 쪽이든

아니,
그래도

다 괜찮다는 게

뭔가
뜻밖이야.

굉장한걸.

…기쁜 것
같기도.

어허, 아타미 군 1
마침

위에 있는 녀석은 스스로 밥도 못 먹잖아.

아무것도 없는 데서 갑자기 쓰러질 수 있으니까.

돌연 맹스피드로 달리거나

그건 압도적으로 아래 아니야?

으음.

아까 안면을 가격한다며.

그릇으론 위야.

하지만 위에 있는 녀석은 '아래 녀석은 절대 그런 짓 안 해'라고 신뢰할걸.

어느 날의 점심시간 2

'졸리다'라는 말을 쓰지 못하게 되면 어떡할 거야?

만약에

비 오는 날은 왜 이렇게 졸린 거지….

…

너무 졸려.

졸려.

큰일 났다.

동시에…

1권과 단편집을 동시에 발매하려고요….

작업도 두 권 동시에…?

힘내세요!

감사합니다….

두 권을…

작가 후기

머리 위의 초밥 재료는 전갱이입니다.

등푸른생선을 좋아합니다.

구입해 주셔서 감사합니다

단편집 「사십구재를 마치고 타누마 아사 작품집」 도 (동시에) 나왔습니다.

도움을 주신 모든 분께 감사를 전합니다.

타누마 아사

2권도 잘 부탁드려요.

어허, 아타미군 **1**

2024년 09월 08일 초판 인쇄
2024년 09월 15일 초판 발행

저자 : Asa Tanuma
역자 : 나민형
발행인 : 황민호
콘텐츠2사업본부장 : 최재경
책임편집 : 소민주 / 임효진 / 김영주
발행처 : 대원씨아이(주)

서울특별시 용산구 한강대로 15길 9-12
전화 : 2071-2000·FAX : 6352-0115
1992년 5월 11일 등록 제 3-563호

IYAHAYA ATAMI KUN Vol.1
©Asa Tanuma 2023
First published in Japan in 2023 by KADOKAWA CORPORATION, Tokyo.
Korean translation rights arranged with KADOKAWA CORPORATION, Tokyo.

잘못 만들어진 책은 구입하신 곳에서 교환해 드립니다.
문의 : 영업 02) 2071-2072 / 편집 02) 2071-2112

ISBN 979-11-7245-930-7 07830
ISBN 979-11-7245-929-1 (세 트)